D1359990

Textes et recettes : *Laurence DALON.*

Photographies et stylisme : *Claudia ALBISSER HUND.*

Graphisme : *Élisabeth CHARDIN.*

Coordination : *SAEP/Éric ZIPPER.*

Composition et photogravure : *SAEP/Arts Graphiques.*

Impression : *Union Européenne.*

CONCEPTION : SAEP CRÉATION - 68040 INGERSHEIM - COLMAR

Je fais mes **yaourts**

saep

Introduction

À l'heure du tout faire soi-même, pourquoi ne pas fabriquer ses yaourts maison. Laissez libre cours à votre imagination et créez des recettes inédites. Réaliser ses yaourts est enfantin. On mélange du yaourt et du lait, on remplit les pots en verre, que l'on place dans la yaourtière. On la branche et on l'oublie pendant 8 à 9 heures.
Le produit est totalement maîtrisé et entièrement naturel : pas d'additifs, pas de conservateurs, pas d'arômes artificiels. On maîtrise ainsi les composants (du lait bio et/ou frais), on ensemence avec un yaourt bio si on le souhaite, on ajoute un sucre raffiné ou non, on aromatise avec des arômes naturels (huiles essentielles bio, fruits frais d'origine bio). On réalise ainsi des produits savoureux, incomparables avec les produits du commerce.

Mais fabriquer ses yaourts présente d'autres avantages :
- respect de l'environnement en réduisant le nombre de déchets puisque les pots sont lavables et réutilisables ;
- économies car l'achat d'une yaourtière est vite rentabilisé ;
- plaisir de réaliser des produits maison.

Et pourquoi ne pas organiser des « yaourts partys », en utilisant barres chocolatées, biscuits, bonbons, sirops, arômes, pâtes à tartiner, chocolat râpé, et goûter après quelques heures le résultat de ses expériences ?

Le yaourt, qu'est-ce que c'est ?

Selon le décret n° 88-1203 du 30 décembre 1988, le yaourt ou yoghourt est défini comme un : « lait fermenté obtenu, selon des usages loyaux et constants, par le développement des seules bactéries lactiques thermophiles spécifiques dites « Streptococcus salivarius » subsp. « thermophilus » et « Lactobacillus delbrueckii » subsp. « bulgaricus » qui doivent être ensemencées et se trouver vivantes dans le produit fini à raison d'au moins 10 millions de bactéries par gramme rapportées à la partie lactée ».

Le yaourt est le fruit d'une fermentation que l'on appelle lactique car le lactose (sucre du lait) est transformé en acide lactique par les deux bactéries. Cette transformation entraîne une acidification qui provoque une modification de la structure des protéines (caséines micellaires). Celles-ci s'organisent en réseau, piégeant ainsi tous les composants du lait et conduisant à la prise en masse du yaourt. Le coagulum obtenu est ferme, sans exsudation de lactosérum. L. bulgaricus donne au yaourt son caractère acide et S. thermophilus développe ses arômes et ses caractéristiques organoleptiques.

Yaourts et laits fermentés : points communs et différences

Il existe d'autres produits laitiers résultant de la fermentation lactique. Ils n'ont cependant pas droit à l'appellation « yaourt » étant donné que les micro-organismes entrant dans leur composition sont soit différents soit plus nombreux que Streptococcus thermophilus et Lactobacillus bulgaricus. On ne se limitera pas dans ce livre aux seuls yaourts car le procédé de fabrication peut s'étendre à ces autres laits fermentés. On trouve ces produits en supermarché tout prêts, et il suffit de s'en servir de base pour fabriquer les produits suivants :

- le lait ribot.
  Fabriqué en Bretagne, il se présente sous forme liquide. Il est légèrement pétillant. Il peut être consommé comme boisson ou utilisé en cuisine. Le micro-organisme utilisé est Streptococcus lactis ;
- le kéfir ou « yaourt des centenaires ».
  Cette boisson originaire du Caucase est légèrement pétillante et comprend un très faible degré d'alcool. Les micro-organismes utilisés (bactéries, levures) sont au nombre d'une trentaine. On ensemence le lait avec des grains de kéfir que l'on réutilise à chaque production. Ces grains de kéfir s'échangent sur Internet. On peut également acheter en pharmacie des préparations en sachet (la composition en micro-organismes est dans ce cas moins riche) et ce procédé est préférable à l'ensemencement direct par une boisson kéfir achetée en supermarché ;
- leben ou laban.
  C'est un lait fermenté originaire du Moyen-Orient et qui peut être consommé comme boisson ou entrer dans la composition de plats.

Les différents types de yaourts

• Le yaourt « ferme »
Il est conditionné en pots après mélange des ingrédients. La fermentation a lieu directement dans les pots.

• Le yaourt « brassé »
Il est préparé en vrac. Le brassage avant le conditionnement lui confère une consistance crémeuse.

• Le yaourt « à boire »
Ou yaourt liquide. Il est battu après avoir été brassé.

Le yaourt, comment ça marche ?

Le principe
Le développement optimal des bactéries Streptococcus thermophilus et Lactobacillus bulgaricus se réalise à une température proche de 40 °C. Il s'agit donc de maintenir cette température pendant 8 à 9 heures, quel que soit le procédé utilisé : yaourtière, autocuiseur ou four.

À la yaourtière
Placer les ingrédients dans un grand récipient, mixer à l'aide d'un mixeur plongeant et verser dans les pots en verre. Placer les couvercles et mettre en marche pour 5 à 9 heures de fermentation. Consulter les notices d'utilisation de son appareil. Une fois ce temps écoulé, placer les pots au réfrigérateur.

À l'autocuiseur
Placer un fond d'eau dans l'autocuiseur. Fermer, faire chauffer jusqu'à rotation de la soupape. Pendant ce temps, faire chauffer le lait à 50 °C. Ajouter le yaourt et les autres ingrédients. Mélanger et verser dans les pots de yaourt. Retirer l'eau de l'autocuiseur et y placer les pots de yaourt. Fermer et laisser reposer pendant 5 à 6 heures. Une fois ce temps écoulé, placer les pots au réfrigérateur.

Au four
Faire chauffer le four à 50 °C (th. 1-2). Pendant ce temps, réaliser le mélange ferment-lait à 50 °C et verser dans les pots déposés dans un plat suffisamment grand. Verser de l'eau à 60 °C à mi-hauteur. Placer dans le four pendant 5 à 6 heures. On peut vérifier le maintien de la température en plaçant une sonde avec alarme dans un pot de yaourt : la température du yaourt doit être de 40 °C. Une fois temps et température déterminés, l'utilisation de la sonde n'est plus nécessaire. Lorsque le temps de fermentation est écoulé, placer les pots de yaourt au réfrigérateur.

Derniers petits conseils

À faire
- Selon les appareils, la contenance des pots de yaourt diffère. Il faut donc adapter les quantités.
- Éviter les courants d'air durant la fermentation.
- Utiliser un bol de grande contenance (plus de 1 l) avec bec verseur pour effectuer le mélange : on versera ensuite sans bavures le mélange dans les pots de yaourt.
- Si on est pressé, on peut chauffer le mélange lait-yaourt à 30 °C, la fermentation en yaourtière ne durera que 5 à 6 heures.

À ne pas faire
- Bouger la yaourtière pendant la fermentation.
- Laisser les yaourts trop longtemps dans la yaourtière car ils deviennent acides.
- Utiliser des yaourts ayant des dates limites de consommation trop courtes car la concentration en micro-organismes diminue avec le temps.

Yaourts
Recettes de base

Les recettes de base vous permettront de vous familiariser avec la ou les techniques (yaourtière, four...). Choisissez celle qui vous convient le mieux et lancez-vous ensuite dans des recettes plus compliquées.

Pour 6 ou 7 pots
Recette facile
Recette peu coûteuse
Préparation : 5minutes
Repos : 9 heures

Ingrédients
1 yaourt entier d'origine biologique
3 cuil. à soupe de lait en poudre d'origine biologique
1 l de lait entier d'origine biologique.

Yaourt bio

1. *Verser le yaourt et le lait en poudre dans un bol avec bec verseur. Ajouter le lait progressivement tout en mixant avec un mixeur plongeant.*
2. *Verser dans les pots de yaourt, placer les couvercles et disposer dans la yaourtière. Mettre en route pour 8 à 9 heures de fermentation.*
3. *Une fois ce temps écoulé, placer les pots de yaourt au réfrigérateur.*

Note : Si l'on utilise du lait frais acheté à la ferme, il est indispensable de le faire bouillir avant utilisation.

Pour 6 ou 7 pots
Recette facile
Recette peu coûteuse
Préparation : 5 minutes
Repos : 9 heures

Ingrédients
1 yaourt goût bulgare
3 cuil. à soupe de lait en poudre
3 cuil. à soupe de crème fraîche épaisse
1 l de lait entier.

Yaourt bulgare ou crémeux

1. Verser le yaourt, le lait en poudre et la crème liquide dans un bol avec un bec verseur. Ajouter le lait progressivement tout en mixant avec un mixeur plongeant.
2. Verser dans les pots de yaourt, placer les couvercles et disposer dans la yaourtière. Mettre en route pour 8 à 9 heures de fermentation.
3. Une fois ce temps écoulé, placer les pots au réfrigérateur.

Note : Utiliser de la crème épaisse car elle contient également des ferments lactiques qui renforceront le goût du yaourt.

Yaourt au lait de chèvre ou de brebis

Pour 6 ou 7 pots
Recette facile
Recette peu coûteuse
Préparation : 5 minutes
Repos : 9 heures

Ingrédients
1 yaourt entier
3 cuil. à soupe de lait en poudre
1 l de lait de chèvre ou de brebis.

1. Verser le yaourt et le lait en poudre dans un bol avec bec verseur. Ajouter le lait progressivement tout en mixant avec un mixeur plongeant.
2. Verser dans les pots de yaourt, placer les couvercles et disposer dans la yaourtière. Mettre en route pour 8 à 9 heures de fermentation.
3. Une fois ce temps écoulé, placer les pots au réfrigérateur.

Note : Le lait de chèvre a un goût assez prononcé. On le réservera donc aux préparations salées ou, si on désire le consommer sucré, le mélanger avec du lait de vache pour adoucir le goût.

Yaourt abricots-fleur d'oranger-macarons, page 20

Yaourts

Yaourts aromatisés

Tous les goûts sont permis !
Lâchez-vous, soyez créatif et créez vos recettes
avec vos ingrédients fétiches !

Yaourt sucré tout simple

Pour 6 ou 7 pots
Recette facile
Recette peu coûteuse
Préparation : 5 minutes
Repos : 9 heures

Ingrédients
1 yaourt entier
3 cuil. à soupe de lait en poudre
60 g de sucre en poudre
1 l de lait entier.

1. Verser le yaourt, le lait en poudre et le sucre dans un bol avec bec verseur. Ajouter le lait progressivement tout en mixant avec un mixeur plongeant.
2. Verser dans les pots de yaourt, placer les couvercles et disposer dans la yaourtière. Mettre en route pour 8 à 9 heures de fermentation.
3. Une fois ce temps écoulé, placer les pots au réfrigérateur.

Note : On peut varier les types de sucres : cassonade, sucre vergeoise pour un petit goût de caramel, sucre muscovado pour un petit goût de réglisse, sucre vanillé. On peut également utiliser des sirops aromatisés : goût bubble gum, violette, rose, bonbon.

Le yaourt des choco'addicts

Pour 6 ou 7 pots
Recette facile
Recette peu coûteuse
Préparation : 5 minutes
Cuisson : 2 minutes
Repos : 9 heures

Ingrédients
3 barres chocolatées (au caramel ou avec des gaufrettes)
80 cl de lait entier
4 cuil. à soupe de pâte à tartiner à la noisette
1 yaourt entier
3 cuil. à soupe de lait en poudre.

1. Couper les barres chocolatées en morceaux et répartir dans les pots de yaourt.
2. Chauffer 10 cl de lait avec la pâte à tartiner pour la liquéfier.
3. Verser le yaourt et le lait en poudre dans un bol avec bec verseur. Ajouter le reste de lait ainsi que le lait à la pâte à tartiner en mixant avec un mixeur plongeant.
4. Verser dans les pots de yaourt, placer les couvercles et disposer dans la yaourtière. Mettre en route pour 8 à 9 heures de fermentation.
5. Une fois ce temps écoulé, placer les pots au réfrigérateur.

Yaourt sucré tout simple

Yaout abricots-fleur d'oranger-macarons

Pour 6 ou 7 pots
Recette facile
Recette peu coûteuse
Préparation : 5 minutes
Cuisson : 5 minutes
Repos : 9 heures

Ingrédients
200 g d'abricots frais ou congelés
1 cuil. à moka rase d'agar-agar
120 g de sucre en poudre
2 cuil. à soupe d'eau de fleur d'oranger
7 macarons
1 yaourt entier
3 cuil. à soupe de lait en poudre
80 cl de lait entier.

1. Placer les abricots coupés en cubes, l'agar-agar et 60 g de sucre dans une casserole. Chauffer tout en remuant puis maintenir l'ébullition pendant 2 minutes. Laisser tiédir puis ajouter l'eau de fleur d'oranger.
2. Émietter les macarons et les déposer au fond des pots de yaourt. Recouvrir avec les abricots sur 1 cm.
3. Verser le yaourt, le lait en poudre, le reste de sucre dans un bol avec bec verseur. Ajouter le lait progressivement tout en mixant avec un mixeur plongeant.
4. Verser dans les pots de yaourt, placer les couvercles et disposer dans la yaourtière. Mettre en route pour 8 à 9 heures de fermentation.
5. Une fois ce temps écoulé, placer les pots au réfrigérateur.

Yaourt Belle-Hélène

Pour 6 ou 7 pots
Recette facile
Recette peu coûteuse
Préparation : 5 minutes
Cuisson : 2 minutes
Repos : 9 heures 05 minutes

Ingrédients
2 poires au sirop
10 cl de crème fraîche liquide
100 g de chocolat noir à 70 %
90 cl de lait entier
1 yaourt entier
3 cuil. à soupe de lait en poudre
3 sachets de sucre vanillé
2 cuil. à soupe de sucre en poudre
1 cuil. à café d'extrait de vanille.

1. Couper les poires en cubes.
2. Faire bouillir la crème puis ajouter hors du feu le chocolat coupé en morceaux. Laisser reposer pendant 5 minutes. Mixer puis ajouter 10 cl de lait. Verser dans les pots de yaourt et parsemer de cubes de poire.
3. Verser le yaourt, le lait en poudre, le sucre vanillé, le sucre en poudre et l'extrait de vanille dans un bol avec bec verseur. Ajouter le reste de lait en mixant avec un mixeur plongeant.
4. Verser dans les pots de yaourt, placer les couvercles et disposer dans la yaourtière. Mettre en route pour 8 à 9 heures de fermentation.
5. Une fois ce temps écoulé, placer les pots au réfrigérateur.

Note : On peut remplacer les poires par des framboises, ajouter 100 g de chocolat noir à la préparation lait-ferment.

Yaourt aux bonbons caramel

Pour 6 ou 7 pots
Recette facile
Recette peu coûteuse
Préparation : 5 minutes
Repos : 9 heures

Ingrédients
1 l de lait entier
100 g de caramels
1 yaourt entier
3 cuil. à soupe de lait en poudre
60 g de sucre en poudre.

1. Placer 10 cl de lait et les bonbons au caramel dans une casserole. Chauffer jusqu'à ce que les bonbons soient fondus.
2. Verser le yaourt, le lait en poudre, le sucre dans un bol avec bec verseur. Ajouter le reste de lait ainsi que le lait au caramel en mixant avec un mixeur plongeant.
3. Verser dans les pots de yaourt, placer les couvercles et disposer dans la yaourtière. Mettre en route pour 8 à 9 heures de fermentation.
4. Une fois ce temps écoulé, placer les pots au réfrigérateur.

Yaourt café-mascarpone

Pour 6 ou 7 pots
Recette facile
Recette peu coûteuse
Préparation : 5 minutes
Repos : 9 heures

Ingrédients
1 yaourt entier
3 cuil. à soupe de lait en poudre
2 cuil. à soupe de café soluble de bonne qualité
4 cuil. à soupe de mascarpone
60 g de sucre en poudre
1 l de lait entier.

1. Verser le yaourt, le lait en poudre, le café soluble, le mascarpone et le sucre en poudre dans un bol avec bec verseur. Ajouter le lait en mixant avec un mixeur plongeant.
2. Verser dans les pots de yaourt, placer les couvercles et disposer dans la yaourtière. Mettre en route pour 8 à 9 heures de fermentation.
3. Une fois ce temps écoulé, placer les pots au réfrigérateur.

Yaourt aux bonbons caramel,
page 21

Yaourt cassis-violette

Pour 6 ou 7 pots
Recette facile
Recette peu coûteuse
Préparation : 5 minutes
Cuisson : 5 minutes
Repos : 9 heures

Ingrédients
200 g de cassis frais ou congelé
1 cuil. à moka rase d'agar-agar
120 g de sucre en poudre
Quelques gouttes d'arôme violette
1 yaourt entier
3 cuil. à soupe de lait en poudre
80 cl de lait entier.

1. Placer le cassis, l'agar-agar et 60 g de sucre dans une casserole. Chauffer tout en remuant puis maintenir l'ébullition pendant 2 minutes. Laisser tiédir puis ajouter les gouttes d'arôme violette. Verser au fond des pots de yaourt sur 1 cm.
2. Verser le yaourt, le lait en poudre et le reste de sucre dans un bol avec bec verseur. Ajouter le lait progressivement tout en mixant avec un mixeur plongeant.
3. Verser dans les pots de yaourt, placer les couvercles et disposer dans la yaourtière. Mettre en route pour 8 à 9 heures de fermentation.
4. Une fois ce temps écoulé, placer les pots au réfrigérateur.

Note : Selon le même principe, on peut réaliser des yaourts griottes, abricots, fraises, framboises, myrtilles. La cuisson rapide permet de conserver toute la saveur des fruits. Si l'on souhaite réaliser des yaourts avec des fruits frais, il est préférable de les ajouter après fermentation car l'acidité des fruits fait précipiter le lait.

Yaourt chocolat-praliné feuilleté

Pour 6 ou 7 pots
Recette facile
Recette peu coûteuse
Préparation : 10 minutes
Cuisson : 5 minutes
Repos : 9 heures 05 minutes

Ingrédients
2 cuil. à soupe de crème fraîche liquide
50 g de chocolat au lait
50 g de crêpes dentelle
100 g de pâte de praliné
80 cl de lait entier
100 g de chocolat noir
1 yaourt entier
3 cuil. à soupe de lait en poudre
2 cuil. à soupe de sucre en poudre.

1. Faire bouillir la crème liquide et ajouter le chocolat au lait coupé en morceaux. Laisser reposer pendant 5 minutes. Mélanger puis ajouter les crêpes dentelle émiettées et la pâte de praliné. Répartir cette pâte dans les pots de yaourt.
2. Prélever 10 cl de lait que l'on fait bouillir. Ajouter le chocolat coupé en morceaux. Laisser reposer pendant 5 minutes puis mélanger vigoureusement.
3. Verser le yaourt, le lait en poudre et le sucre en poudre dans un bol avec bec verseur. Ajouter le chocolat noir fondu puis le reste de lait en mixant avec un mixeur plongeant.
4. Verser dans les pots de yaourt, placer les couvercles et disposer dans la yaourtière. Mettre en route pour 8 à 9 heures de fermentation.
5. Une fois ce temps écoulé, placer les pots au réfrigérateur.

Yaourt cassis-violette

Yaourt fruits exotiques-noix de coco

Pour 6 ou 7 pots
Recette facile
Recette peu coûteuse
Préparation : 5 minutes
Repos : 9 heures

Ingrédients
1 paquet de biscuits à la noix de coco
120 g de coulis mangue-passion
1 yaourt entier
3 cuil. à soupe de lait en poudre
60 g de sucre en poudre
50 cl de lait entier
30 cl de lait de coco.

1. Émietter les biscuits à la noix de coco et les mélanger avec le coulis mangue-passion. Déposer ce mélange au fond des pots de yaourt.
2. Verser le yaourt, le lait en poudre, le sucre dans un bol avec bec verseur. Ajouter le lait et le lait de coco progressivement tout en mixant avec un mixeur plongeant.
3. Verser dans les pots de yaourt, placer les couvercles et disposer dans la yaourtière. Mettre en route pour 8 à 9 heures de fermentation.
4. Une fois ce temps écoulé, placer les pots au réfrigérateur.

Yaourt griotte-macarons-pistache

Pour 6 ou 7 pots
Recette facile
Recette peu coûteuse
Préparation : 5 minutes
Repos : 9 heures

Ingrédients
200 g de griottes fraîches ou congelées
1 cuil. à moka rase d'agar-agar
120 g de sucre en poudre
7 macarons
2 cuil. à café de pâte de pistache
1 yaourt entier
3 cuil. à soupe de lait en poudre
80 cl de lait entier.

1. Placer les griottes, l'agar-agar et 60 g de sucre dans une casserole. Chauffer tout en remuant puis maintenir l'ébullition pendant 2 minutes. Laisser tiédir.
2. Émietter les macarons et les mélanger avec la pâte de pistache. Déposer ce mélange au fond des pots de yaourt. Recouvrir avec les griottes sur 1 cm.
3. Verser le yaourt, le lait en poudre, le reste de sucre dans un bol avec bec verseur. Ajouter le lait progressivement tout en mixant avec un mixeur plongeant.
4. Verser dans les pots de yaourt, placer les couvercles et disposer dans la yaourtière. Mettre en route pour 8 à 9 heures de fermentation.
5. Une fois ce temps écoulé, placer les pots au réfrigérateur.

Yaourt fruits exotiques-noix de coco

Pour 6 ou 7 pots
Recette facile
Recette peu coûteuse
Préparation : 5 minutes
Cuisson : 5 minutes
Repos : 9 heures 10 minutes

Ingrédients
1 tige de citronnelle
10 feuilles de combava
50 cl de lait entier
1 yaourt entier
3 cuil. à soupe de lait en poudre
60 g de sucre en poudre
50 cl de lait de coco.

Yaourt coco-citronnelle-combava

1. Couper les extrémités de la citronnelle, la laver et l'écraser avec le plat d'un couteau. Laver les feuilles de combava. Faire bouillir le lait puis ajouter la citronnelle et les feuilles de combava. Laisser infuser pendant 10 minutes. Retirer la citronnelle et les feuilles de combava.
2. Verser le yaourt, le lait en poudre, le sucre dans un bol avec bec verseur. Ajouter le lait tiédi et le lait de coco progressivement tout en mixant avec un mixeur plongeant.
3. Verser dans les pots de yaourt, placer les couvercles et disposer dans la yaourtière. Mettre en route pour 8 à 9 heures de fermentation.
4. Une fois ce temps écoulé, placer les pots au réfrigérateur.

Pour 6 ou 7 pots
Recette facile
Recette peu coûteuse
Préparation : 5 minutes
Cuisson : 20 minutes
Repos : 9 heures

Ingrédients
1 boîte de lait concentré sucré
1 yaourt entier
3 cuil. à soupe de lait en poudre
1 l de lait entier.

Yaourt à la confiture de lait

1. Placer une ou plusieurs boîtes de lait concentré sucré dans un autocuiseur avec de l'eau à mi-hauteur. Placer sur le feu et laisser cuire 20 minutes après la mise en rotation de la soupape. Laisser refroidir. Ouvrir une boîte et répartir 1 cuillerée à soupe de confiture de lait dans chaque pot de yaourt.
2. Verser le yaourt et le lait en poudre dans un bol avec bec verseur. Ajouter le lait en mixant avec un mixeur plongeant.
3. Verser dans les pots de yaourt, placer les couvercles et disposer dans la yaourtière. Mettre en route pour 8 à 9 heures de fermentation.
4. Une fois ce temps écoulé, placer les pots au réfrigérateur.

Note : La confiture de lait aura pour rôle de sucrer le yaourt ; pas d'ajout de sucre dans le mélange lait-ferment.

Yaourt crème de marrons-café-spéculoos

Pour 6 ou 7 pots
Recette facile
Recette peu coûteuse
Préparation : 5 minutes
Repos : 9 heures

Ingrédients
100 g de spéculoos
3 cuil. à soupe de café fort
7 cuil. à soupe de crème de marrons
1 yaourt entier
3 cuil. à soupe de lait en poudre
60 g de sucre en poudre
80 cl de lait entier.

1. Mélanger les spéculoos émiettés, le café fort et la crème de marrons. Répartir ce mélange dans les pots de yaourt.
2. Verser le yaourt, le lait en poudre, le sucre dans un bol avec bec verseur. Ajouter le lait progressivement tout en mixant avec un mixeur plongeant.
3. Verser dans les pots de yaourt, placer les couvercles et disposer dans la yaourtière. Mettre en route pour 8 à 9 heures de fermentation.
4. Une fois ce temps écoulé, placer les pots au réfrigérateur.

Yaourt framboise-chocolat blanc

Pour 6 ou 7 pots
Recette facile
Recette peu coûteuse
Préparation : 10 minutes
Cuisson : 5 minutes
Repos : 9 heures 05 minutes

Ingrédients
200 g de framboises
1 cuil. à moka rase d'agar-agar
60 g de sucre en poudre
1 l de lait entier
100 g de chocolat blanc
1 yaourt entier
3 cuil. à soupe de lait en poudre.

1. Placer les framboises, l'agar-agar et le sucre dans une casserole. Chauffer tout en remuant puis maintenir l'ébullition pendant 2 minutes. Mixer et laisser refroidir. Déposer ce mélange au fond des pots de yaourt.
2. Faire bouillir 10 cl de lait. Ajouter le chocolat blanc et laisser reposer pendant 5 minutes. Mélanger vigoureusement.
3. Verser le yaourt et le lait en poudre dans un bol avec bec verseur. Ajouter le reste de lait et le chocolat blanc fondu progressivement tout en mixant avec un mixeur plongeant.
4. Verser dans les pots de yaourt, placer les couvercles et disposer dans la yaourtière. Mettre en route pour 8 à 9 heures de fermentation.
5. Une fois ce temps écoulé, placer les pots au réfrigérateur.

Yaourt à la confiture de lait,
page 28

Yaourt crème de marrons-café-spéculoos, *page 29*

Pour 6 ou 7 pots
Recette facile
Recette peu coûteuse
Préparation : 5 minutes
Cuisson : 5 minutes
Repos : 9 heures

Ingrédients
100 g de litchis au sirop
1 cuil. à moka rase d'agar-agar
1 cuil. à café d'eau de rose
100 g de framboises
1 yaourt entier
3 cuil. à soupe de lait en poudre
60 g de sucre en poudre
1 l de lait entier
7 macarons.

Yaourt macarons-rose-framboise-litchi

1. Placer les litchis et l'agar-agar dans une casserole. Chauffer tout en remuant puis maintenir l'ébullition pendant 2 minutes. Mixer, ajouter l'eau de rose et laisser tiédir. Déposer ce mélange au fond des pots de yaourt. Répartir les framboises entières dans les pots. Laisser refroidir.
2. Verser le yaourt, le lait en poudre, le sucre dans un bol avec bec verseur. Ajouter le lait progressivement tout en mixant avec un mixeur plongeant.
3. Verser dans les pots de yaourt, placer les couvercles et disposer dans la yaourtière. Mettre en route pour 8 à 9 heures de fermentation.
4. Une fois ce temps écoulé, placer les pots au réfrigérateur. Avant de servir, émietter un macaron au-dessus de chaque pot de yaourt.

Pour 1 pot
Recette facile
Recette peu coûteuse
Préparation : 5 minutes

Ingrédients
1 yaourt au lait entier
1 cuil. à soupe de muesli croquant
1 cuil. café de miel
1 cuil. à café d'un mélange de graines (lin, tournesol, courge)
Un mélange de fruits frais de saison (pomme, orange, kiwi en hiver ; fraise, rhubarbe au printemps ; fruits rouges, pêche, abricots en été).

Yaourt muesli-graines-miel-fruits frais

1. Mélanger le yaourt avec le muesli, le miel, les graines et les fruits lavés, épluchés, dénoyautés et coupés en morceaux. Je conseille de procéder ainsi pour conserver le croquant du muesli et des graines. L'acidité des fruits frais est incompatible avec la fabrication du yaourt.

Yaourt macarons-rose-framboise-litchi

Pour 6 ou 7 pots
Recette facile
Recette peu coûteuse
Préparation : 5 minutes
Repos : 9 heures

Ingrédients
1 yaourt entier
3 cuil. à soupe de lait en poudre
60 g de sucre en poudre
2 gouttes d'huile essentielle de pamplemousse bio
1 l de lait entier.

Yaourt au pamplemousse

1. Verser le yaourt, le lait en poudre, le sucre et l'huile essentielle de pamplemousse dans un bol avec bec verseur. Ajouter le lait progressivement tout en mixant avec un mixeur plongeant.
2. Verser dans les pots de yaourt, placer les couvercles et disposer dans la yaourtière. Mettre en route pour 8 à 9 heures de fermentation.
3. Une fois ce temps écoulé, placer les pots au réfrigérateur.

Note : On peut utiliser toutes sortes d'huiles essentielles qui sont de véritables concentrés de saveurs. Attention, toutefois, à ne pas avoir la main trop lourde au risque de rendre la préparation immangeable. Une seule petite restriction : elles sont interdites aux femmes enceintes et allaitantes. On peut les acheter en pharmacie. Les choisir d'origine biologique. Tous les goûts sont permis : citron, mandarine, bergamote, orange…

Pour 6 ou 7 pots
Recette facile
Recette peu coûteuse
Préparation : 5 minutes
Repos : 9 heures

Ingrédients
7 biscuits de Reims
120 g de pralines roses
1 yaourt entier
3 cuil. à soupe de lait en poudre
80 cl de lait entier.

Yaourt tout rose

1. Émietter les biscuits de Reims dans les pots de yaourt. Concasser grossièrement les pralines roses et les ajouter aux biscuits.
2. Verser le yaourt et le lait en poudre dans un bol avec bec verseur. Ajouter le lait en mixant avec un mixeur plongeant.
3. Verser dans les pots de yaourt, placer les couvercles et disposer dans la yaourtière. Mettre en route pour 8 à 9 heures de fermentation.
4. Une fois ce temps écoulé, placer les pots au réfrigérateur.

Note : La praline rose est une amande enrobée de sucre coloré rose. Il existe différentes qualités de pralines contenant une proportion plus ou moins importante de sucre par rapport au poids de l'amande. À défaut de praline rose, on peut utiliser du pralin en grains, mais le résultat ne sera pas le même.

Yaourt au pamplemousse

Pour 6 ou 7 pots
Recette facile
Recette peu coûteuse
Préparation : 5 minutes
Cuisson : 5 minutes
Repos : 9 heures 30 minutes

Ingrédients
1 sachet de thé earl grey
16 gros pruneaux dénoyautés
1 yaourt entier
3 cuil. à soupe de lait en poudre
60 g de sucre en poudre
80 cl de lait entier.

Yaourt pruneau-bergamote

1. Faire frémir 10 cl d'eau. Ajouter le sachet de thé et laisser infuser pendant 3 minutes. Retirer le sachet de thé et ajouter les pruneaux. Laisser gonfler pendant 30 minutes. Égoutter les pruneaux et les hacher grossièrement. Déposer au fond des pots de yaourt.
2. Verser le yaourt, le lait en poudre et le sucre dans un bol avec bec verseur. Ajouter le lait progressivement tout en mixant avec un mixeur plongeant.
3. Verser dans les pots de yaourt, placer les couvercles et disposer dans la yaourtière. Mettre en route pour 8 à 9 heures de fermentation.
4. Une fois ce temps écoulé, placer les pots au réfrigérateur.

Note : Selon le même principe, on peut réaliser des yaourts abricot-cerise en faisant tremper des abricots secs dans un thé à la cerise. Pour les adultes, ajouter une larme d'amaretto aux fruits pour donner une légère saveur de noyau au yaourt.

Pour 6 ou 7 pots
Recette facile
Recette peu coûteuse
Préparation : 5 minutes
Repos : 9 heures

Ingrédients
1 paquet de palets bretons
7 meringues
6 ou 7 cuil. à soupe de lemon curd
1 yaourt entier
3 cuil. à soupe de lait en poudre
60 g de sucre en poudre
80 cl de lait entier.

Yaourt façon tarte au citron

1. Couper grossièrement les palets bretons. Déposer au fond des pots de yaourt. Recouvrir avec des meringues émiettées puis 1 cuillerée à soupe de lemon curd.
2. Verser le yaourt, le lait en poudre et le sucre dans un bol avec bec verseur. Ajouter le lait progressivement tout en mixant avec un mixeur plongeant.
3. Verser dans les pots de yaourt, placer les couvercles et disposer dans la yaourtière. Mettre en route pour 8 à 9 heures de fermentation.
4. Une fois ce temps écoulé, placer les pots au réfrigérateur.

Note : On peut réaliser soi-même son lemon curd. On place 3 œufs, le jus de 3 citrons (environ 15 cl) et 180 g de sucre dans un bol au bain-marie. Porter à ébullition sans cesser de fouetter. Quand le mélange épaissit et dégage une légère odeur d'œuf, retirer du feu et laisser tiédir. Incorporer au mixeur plongeant 150 g de beurre, puis placer au frais.

Yaourt pruneau-bergamote

Ayran,
page 40

Yaourts
Boissons

Concotez-vous des boissons saines et riches en probiotiques (« Lactobacillus casei », « Bifidobacterium »...) !
À boire directement dans les pots de yaourt.

Pour 6 ou 7 pots
Recette facile
Recette peu coûteuse
Préparation : 5 minutes
Repos : 9 heures

Ingrédients
3 pots de yaourt de lait fermenté (p. 41)
Sel

Ayran

1. Verser le lait fermenté dans un bol avec bec verseur. Ajouter un demi-pot de yaourt d'eau très fraîche et 1/2 cuillerée à café de sel. Mixer à l'aide d'un mixeur plongeant.
2. Verser dans des verres. Cette boisson peut accompagner le repas.

Cette boisson du Moyen-Orient est très rafraîchissante et désaltérante.

Pour 6 ou 7 pots
Recette facile
Recette peu coûteuse
Préparation : 5 minutes
Repos : 48 heures

Ingrédients
20 cl de boisson kéfir de lait
80 l de lait entier ou écrémé.

Boisson kéfir au lait

1. Verser la boisson kéfir et le lait dans une bouteille en verre. Mélanger.
2. Placer à température ambiante (20-24 °C) pendant 24 heures. Placer ensuite la bouteille au réfrigérateur pendant 24 heures.
3. Une fois ce temps écoulé, transvaser dans des pots et les placer au réfrigérateur.

Note : On peut également fabriquer du kéfir de lait à base de poudre achetée en pharmacie. Dans ce cas, se conformer à la notice d'utilisation. Si l'on a la chance de posséder des grains de kéfir, la fermentation se réalise durant 24 heures à une température de 16 à 20 °C.

On peut réaliser, selon le même principe, du lait ribot.

Boisson au l. casei

Pour 6 ou 7 pots
Recette facile
Recette peu coûteuse
Préparation : 5 minutes
Repos : 9 heures

Ingrédients
20 cl de boisson au l. casei
1 l de lait entier.

1. Verser la boisson au l.casei et le lait dans un bol avec bec verseur. Mixer à l'aide d'un mixeur plongeant.
2. Verser dans les pots de yaourt, placer les couvercles et les disposer dans la yaourtière. Mettre en route pour 8 à 9 heures de fermentation.
3. Une fois ce temps écoulé, placer les pots au réfrigérateur.

Note : Il est intéressant de posséder un second jeu de pots de yaourt pour ces « boissons » qui peuvent se consommer au goûter ou durant le repas.

Lait fermenté à boire

Pour 6 ou 7 pots
Recette facile
Recette peu coûteuse
Préparation : 5 minutes
Repos : 9 heures

Ingrédients
20 cl de lait fermenté
1 l de lait entier.

1. Verser le lait fermenté et le lait dans un bol avec bec verseur. Mixer à l'aide d'un mixeur plongeant.
2. Verser dans les pots de yaourt, placer les couvercles et les disposer dans la yaourtière. Mettre en route pour 8 à 9 heures de fermentation.
3. Une fois ce temps écoulé, placer les pots au réfrigérateur.

5
REGLAGE TEMPS DEPART / ARRET

Lassi indien

Pour 4 personnes
Recette facile
Recette peu coûteuse
Préparation : 5 minutes

Ingrédients
4 yaourts
2 cuil. à soupe de sucre en poudre
1 cuil. à soupe d'eau de rose
Une pincée de cardamome moulue
Une pincée de muscade
20 cl de lait.

1. Placer les yaourts, le sucre, l'eau de rose, les épices et le lait dans un bol avec bec verseur. Mixer à l'aide d'un mixeur plongeant.
2. Répartir dans des verres et servir de suite.

Note : Les ingrédients doivent être bien frais pour que la boisson soit rafraîchissante. Ajoutez éventuellement des glaçons à la préparation.

Lassi à la mangue

Pour 4 personnes
Recette facile
Recette peu coûteuse
Préparation : 5 minutes

Ingrédients
1 mangue bien mûre
4 yaourts
2 cuil. à soupe de sucre en poudre
20 cl de lait.

1. Éplucher la mangue et retirer le noyau. Couper en cubes.
2. Placer les cubes de mangue, les yaourts, le sucre et le lait dans un bol avec bec verseur. Mixer à l'aide d'un mixeur plongeant.
3. Répartir dans des verres et servir de suite.

Note : On peut ainsi réaliser toutes sortes de lassis avec des fruits différents : pêches, abricots, fraises, framboises.

Yaourt à boire au lait de coco

Pour 6 ou 7 pots
Recette facile
Recette peu coûteuse
Préparation : 5 minutes
Repos : 9 heures

Ingrédients
15 cl de lait fermenté
50 cl de lait entier
50 cl de lait de coco
2 cuil. à soupe de sucre en poudre.

1. Verser le lait fermenté, le lait entier, le lait de coco et le sucre dans un bol avec bec verseur. Mixer à l'aide d'un mixeur plongeant.
2. Verser dans les pots de yaourt, placer les couvercles et les disposer dans la yaourtière. Mettre en route pour 8 à 9 heures de fermentation.
3. Une fois ce temps écoulé, placer les pots au réfrigérateur.

Note : On peut ainsi réaliser toutes sortes de yaourts à boire : à la vanille (avec sucre vanillé et extrait de vanille), aux fruits avec du coulis de fruits, au caramel.

Lassi indien

Smoothie fraise-banane

Pour 4 personnes
Recette facile
Recette peu coûteuse
Préparation : 5 minutes

Ingrédients
1/2 banane
4 yaourts crémeux
200 g de fraises congelées
1 cuil. à soupe de miel.

1. Éplucher la banane. Couper en rondelles dans un bol avec bec verseur.
2. Ajouter les yaourts, les fraises et le miel. Réduire en purée à l'aide d'un mixeur plongeant.
3. Répartir dans des verres et servir tout de suite.

Smoothie fruits rouges-pain d'épice

Pour 4 personnes
Recette facile
Recette peu coûteuse
Préparation : 5 minutes

Ingrédients
2 tranches de pain d'épice de bonne qualité
250 g de fruits rouges congelés (framboise, griotte, cassis, fraise)
4 yaourts crémeux
1 cuil. à soupe de miel.

1. Couper le pain d'épice en cubes.
2. Verser les fruits rouges, les yaourts, le miel et les cubes de pain d'épice dans un bol avec bec verseur. Réduire en purée à l'aide d'un mixeur plongeant.
3. Répartir dans des verres et servir tout de suite.

Smoothie fraise-banane

Dip yaourt-curry-oignons,
page 50

Yaourts

Recettes salées à base de yaourt

Intégrez du yaourt dans vos plats pour réaliser de délicieuses recettes exotiques !

Dip yaourt-curry-oignons

Pour 4 personnes
Recette facile
Recette peu coûteuse
Préparation : 5 minutes

Ingrédients
2 oignons
1 cuil. à soupe d'huile de colza
1 cuil. à café de pâte de curry douce
2 yaourts à la grecque
1 pomme
1/2 citron
Sel, poivre.

1. Éplucher les oignons et les émincer en rondelles. Faire chauffer une casserole à feu vif avec l'huile. Faire revenir les oignons avec la pâte de curry. Baisser le feu et attendre que les oignons soient cuits. Laisser refroidir, puis ajouter le yaourt, du sel et du poivre.
2. Couper la pomme en quatre, retirer le cœur. Éplucher les quartiers de pomme et les râper. Arroser de jus de citron et bien mélanger. Ajouter au mélange précédent. Goûter et rectifier l'assaisonnement si nécessaire.
3. Servir avec des légumes coupés en bâtonnets : carottes, navets, radis, concombre ou des naans réchauffés et coupés en triangles.

Note : Choisir une pâte de curry indienne à base d'épices et de gingembre et non une pâte de curry thaïlandaise (pâte de curry verte ou rouge) à base de piments, citronnelle, galangal.

Dip yaourt-roquefort-fruits secs

Pour 4 personnes
Recette facile
Recette peu coûteuse
Préparation : 5 minutes

Ingrédients
1 cuil. à soupe d'amandes
1 cuil. à soupe de noisettes
1 cuil. à soupe de noix
3 figues séchées
3 abricots secs
3 pruneaux dénoyautés
150 g de roquefort
2 yaourts crémeux
Quelques gouttes de vinaigre balsamique
4 tranches de pain complet aux graines
Poivre.

1. Concasser grossièrement les amandes, les noisettes et les noix.
2. Retirer le pédoncule des figues séchées et les couper en petits cubes ainsi que les abricots et les pruneaux.
3. Mixer la moitié du roquefort avec les yaourts. Poivrer. Ajouter le reste du roquefort coupé en morceaux ainsi que les fruits secs et le vinaigre balsamique.
4. Faire griller le pain complet aux graines. Couper des mouillettes de 1,5 cm de largeur et servir avec le dip au roquefort.

Si les fruits secs sont trop secs, on peut les réhydrater dans l'eau chaude pendant quelques minutes.

On peut également servir ce dip avec des légumes coupés en bâtonnets : carottes, navets, radis, concombre et des tomates cerise

Dip yaourt-sardine-poivron

Pour 4 personnes
Recette facile
Recette peu coûteuse
Préparation : 5 minutes

Ingrédients
2 boîtes de sardines à la tomate de 100 g chacune
4 poivrons grillés pelés
8 tomates confites
1 yaourt crémeux à la grecque
1 cuil. à café de vinaigre balsamique
1/2 cuil. à moka de piment d'Espelette
Sel, poivre.

1. *Mixer tout le contenu de la boîte de sardines à la tomate, les poivrons égouttés et les tomates confites coupées en carrés. Saler et poivrer.*
2. *Ajouter le yaourt, le vinaigre balsamique et le piment d'Espelette. Goûter et rectifier l'assaisonnement si nécessaire. Ce dip doit être pimenté.*

Servir accompagné de tranches de pain de seigle grillées ou de baguette fraîche.

Note : Utiliser des poivrons grillés et pelés en saumure en bocaux. On les trouve également sous l'appellation pimientos del piquillo.

Tzatziki

Pour 4 personnes
Recette facile
Recette peu coûteuse
Préparation : 5 minutes
Repos : 1 heure

Ingrédients
1/2 concombre
1 oignon nouveau
1 gousse d'ail
1 cuil. à café d'aneth
3 yaourts crémeux à la grecque
1 cuil. à soupe de crème fraîche épaisse
Sel, poivre.

1. *Éplucher le concombre, couper les extrémités et le râper.*
2. *Couper les extrémités de l'oignon et ciseler finement. Ajouter au concombre et parsemer de sel. Bien mélanger et laisser dégorger pendant 1 heure. Verser dans une passoire et presser pour en extraire toute l'eau.*
3. *Éplucher la gousse d'ail et la hacher finement. Laver l'aneth et ciseler finement. Mélanger le yaourt, la crème épaisse, l'ail et l'aneth. Saler et poivrer. Ajouter le mélange concombre-oignon. Bien mélanger.*

Servir bien frais avec du pain grillé

Dip yaourt-sardine-poivron, page 51

Raïta

Pour 4 personnes
Recette facile
Recette peu coûteuse
Préparation : 5 minutes
Repos : 1 heure

Ingrédients
1 oignon nouveau
1 poivron
2 tomates
2 carottes
Quelques feuilles de coriandre
2 yaourts crémeux
Une pincée de cumin
Sel, poivre.

1. Éliminer les extrémités de l'oignon et émincer finement.
2. Inciser le haut du poivron pour éliminer le pédoncule. Couper en deux puis enlever les graines. Couper en fines lanières puis en petits carrés.
3. Supprimer le pédoncule des tomates, couper en quatre et retirer les graines en passant le doigt dans les quartiers. Couper en petits cubes. Mélanger ces 3 légumes, saler et laisser dégorger pendant 1 heure.
4. Verser dans une passoire et presser pour en extraire toute l'eau.
5. Éplucher les carottes et les râper.
6. Laver la coriandre et l'émincer finement. Ajouter le yaourt et le cumin. Saler et poivrer.
7. Ajouter cet assaisonnement aux légumes dégorgés et aux carottes. Bien mélanger et servir.

Note : La raïta est une salade indienne très rafraîchissante qui peut se réaliser avec toutes sortes de légumes : courgettes, betteraves rouges, concombre, chou blanchi.

Salade de concombre à l'alsacienne

Pour 4 personnes
Recette facile
Recette peu coûteuse
Préparation : 5 minutes
Repos : 1 heure

Ingrédients
1 concombre
1 oignon nouveau
1 cuil. à soupe de moutarde condiment alsacienne
2 yaourts crémeux à la grecque
Sel, poivre.

1. Éplucher le concombre et le râper en fines rondelles.
2. Couper les extrémités de l'oignon et l'émincer en fines rondelles. Ajouter au concombre et parsemer généreusement de sel. Bien mélanger et laisser dégorger pendant 1 heure. Verser dans une passoire et presser pour en extraire toute l'eau.
3. Mélanger la moutarde, les yaourts, du sel et du poivre. Ajouter cet assaisonnement au concombre, bien mélanger et servir de suite.

Note : La moutarde condiment alsacienne est une moutarde douce épicée qui s'accommode exceptionnellement bien avec les knacks (saucisses alsaciennes).

Raïta

Pour 4 personnes
Recette facile
Recette peu coûteuse
Préparation : 10 minutes
Cuisson : 1 heure

Ingrédients
2 aubergines
1/2 citron
3 cuil. à soupe de pâte de sésame (tahiné)
1/2 yaourt
2 cuil. à soupe d'huile d'olive
1 gousse d'ail
Un peu de persil plat
Sel, poivre.

Moutabal

1. Laver et piquer les aubergines avec une fourchette. Placer dans un plat et mettre au four à 180 °C (th. 6) pendant 1 heure. Laisser refroidir dans le four.
2. Couper le pédoncule des aubergines et retirer la chair. La placer dans un mixeur avec le citron pressé, la pâte de sésame, le yaourt, 1 cuillerée à soupe d'huile d'olive et la gousse d'ail épluchée et hachée. Saler et poivrer. Mixer puis goûter et rectifier l'assaisonnement si nécessaire.
3. Verser la préparation dans un bol, faire un petit trou au centre et y verser le reste d'huile d'olive. Parsemer de persil plat haché.

Servir avec des galettes libanaises coupées en morceaux.

Note : Le moutabal est un des composants du mezzé froid. Il est appelé baba ghanouge lorsque l'on n'ajoute pas de yaourt.

Pour 4 personnes
Recette facile
Recette peu coûteuse
Préparation : 5 minutes

Ingrédients
150 g de saumon fumé
1 oignon nouveau
2 yaourts de brebis
2 cuil. à soupe de crème fraîche épaisse
1 bonne poignée de feuilles de pourpier
2 cuil. à soupe d'huile d'olive
Sel, poivre.

Verrine au saumon et au yaourt de brebis

1. Couper le saumon en carrés.
2. Couper les extrémités de l'oignon et le ciseler finement.
3. Mélanger les yaourts avec la crème, le saumon et l'oignon. Saler et poivrer.
4. Déposer ce mélange au fond de verrines.
5. Laver le pourpier et l'assaisonner d'huile d'olive, de sel et de poivre.
6. Recouvrir le mélange précédent avec le pourpier assaisonné et servir de suite avec de petites fourchettes.

Moutabal

Pour 4 personnes
Recette facile
Recette peu coûteuse
Préparation : 10 minutes
Cuisson : 6 minutes
Repos : 2 heures

Ingrédients
450 g de filet de poulet
1 petit oignon
4 cm de racine de gingembre
2 yaourts bulgares
1/4 de cuil. à café de clou de girofle moulu
1/2 cuil. à café de coriandre moulue
2 cuil. à café de garam masala
Le jus de 1/2 citron
Sel, poivre.

Poulet tikka

1. *Couper le filet de poulet en fines lamelles.*
2. *Éplucher l'oignon et le gingembre. Émincer finement.*
3. *Mélanger l'oignon, le gingembre, les yaourts, les épices et le jus de citron. Saler et poivrer. Faire mariner le poulet dans ce mélange pendant 2 heures.*
4. *Après 2 heures, sortir la viande de la marinade et enfiler les morceaux de viande sur des brochettes.*
5. *Placer au four à 240 °C (th. 8) pendant 6 minutes.*

Servir accompagné de riz.

Note : On peut également préparer un délicieux poulet tandoori en mélangeant de la pâte tandoori avec du yaourt et un jus de citron. Laisser mariner pendant 2 heures puis cuire de la même façon.

Pour 4 personnes
Recette facile
Recette peu coûteuse
Préparation : 5 minutes
Cuisson : 1 heure

Ingrédients
4 pommes de terre de variété charlotte
Quelques brins de ciboulette
2 yaourts
2 cuil. à soupe de crème fraîche épaisse
Sel, poivre.

Pommes de terre au four, sauce aigrelette à la ciboulette

1. *Laver les pommes de terre. Les envelopper dans du papier d'aluminium et placer au four à 210 °C (th. 7) pendant 1 heure.*
2. *Pendant ce temps, préparer la sauce : laver et ciseler finement la ciboulette. Mélanger les yaourts, la crème épaisse, la ciboulette. Saler et poivrer.*
3. *Sortir les pommes de terre du four et retirer le papier d'aluminium. Vérifier la cuisson. Couper un petit chapeau, retirer un peu de chair à l'aide d'une cuillère à café. Déposer une cuillerée de sauce dans la partie évidée et servir en accompagnement d'un rôti, par exemple.*

Poulet
tikka

Sorbet au yaourt,
page 62

Yaourts

Recettes sucrées à base de yaourt

Usez et abusez du yaourt !
Il apporte une pointe de fraîcheur et d'acidité aux desserts.

Pour 4 personnes
Recette facile
Recette peu coûteuse
Préparation : 15 minutes
Cuisson : 10 minutes
Repos : 2 heures

Ingrédients
120 g de palets bretons
120 g de coulis de fraises
200 g de rhubarbe
3 cuil. à soupe de sucre en poudre
1 cuil. à moka d'agar-agar
200 g de yaourt crémeux
10 cl de crème fraîche liquide.

Mousse yaourt-fraise-rhubarbe

1. Mixer les palets bretons pour obtenir une fine chapelure. Ajouter le coulis de fraises et bien mélanger. Disposer un cercle de 18 cm de diamètre et d'une hauteur de 6 cm. On peut également utiliser un moule de même dimension que l'on tapisse de film étirable.
2. Couper les extrémités des tiges de rhubarbe et retirer la peau dure. Couper en tronçons et placer dans une casserole avec le sucre et l'agar-agar. Cuire tout en remuant jusqu'à ce que la rhubarbe soit cuite.
3. Laisser tiédir puis ajouter le yaourt. Monter la crème en chantilly puis l'incorporer délicatement au mélange précédent.
4. Verser dans le moule et laisser reposer au frais pendant 2 heures. Démouler avant de servir en passant un couteau entre la mousse et le cercle.

Pour 4 personnes
Recette facile
Recette peu coûteuse
Préparation : 10 minutes
Cuisson : 10 minutes
Repos : 4 heures

Ingrédients
100 g de sucre en poudre
1 cuil. à moka rase d'agar-agar
250 g de yaourt crémeux
2 cuil. à soupe de lait en poudre.

Sorbet au yaourt

1. Dans une casserole, placer le sucre, 150 g d'eau et l'agar-agar. Porter le mélange à ébullition tout en remuant. Maintenir l'ébullition pendant 2 minutes puis laisser refroidir.
2. Ajouter le yaourt et le lait en poudre en mixant puis verser dans un récipient et placer pendant 4 heures au congélateur.
3. Sortir le sorbet une dizaine de minutes avant de servir. Détailler des quenelles de sorbet et accompagner d'un coulis de fruits, par exemple.

Mousse yaourt-fraise-rhubarbe

Crêpes au lait ribot

Pour 4 personnes
Recette facile
Recette peu coûteuse
Préparation : 5 minutes
Cuisson : 10 minutes
Repos : 1 heures

Ingrédients
4 œufs
200 g de farine
25 cl de lait ribot
25 cl de lait
50 g de beurre
Sel.

1. Placer les œufs, la farine, le lait et une pincée de sel dans un bol avec bec verseur. Mixer.
2. Faire fondre le beurre et ajouter au mélange précédent. Mixer à nouveau. Laisser reposer pendant 1 heure.
3. Faire chauffer une crêpière pour y réaliser les crêpes. À défaut, faire chauffer 2 poêles à feu vif avec un peu d'huile et réaliser les crêpes alternativement dans les 2 poêles.

Espuma au yaourt et aux fruits de la passion

Pour 4 personnes
Recette facile
Recette peu coûteuse
Préparation : 10 minutes
Cuisson : 10 minutes
Repos : 2 heures

Ingrédients
15 cl de pulpe de fruits de la passion
100 g de sucre en poudre
100 g de yaourt crémeux
5 cl de crème fraîche liquide.

1. Faire chauffer la pulpe de fruits de la passion avec le sucre. Laisser refroidir puis ajouter le yaourt et la crème liquide. Verser dans un siphon et fermer. Insérer 1 cartouche de gaz. Bien secouer tête vers le bas et laisser reposer pendant 2 heures.
2. Au moment de servir, bien secouer et répartir dans des verrines.
3. Servir de suite.

Crêpes au lait ribot

Table des matières

Introduction 5

Le yaourt, qu'est-ce que c'est ? 6

Yaourts et laits fermentés : points communs et différences 6

Les différents types de yaourts 8

Le yaourt, comment ça marche ? 8

Derniers petits conseils 8

Recettes de base 11

- *Yaourt bio* 12
- *Yaourt bulgare* 14
- *Yaourt au lait de chèvre ou de brebis* 15

Yaourts aromatisés 17

- *Yaourt sucré tout simple* 18
- *Le yaourt des choco'addicts* 18
- *Yaourt abricots-fleur d'oranger-macarons* 20
- *Yaourt Belle-Hélène* 20
- *Yaourt aux bonbons caramel* 21
- *Yaourt café-mascarpone* 21
- *Yaourt cassis-violette* 24
- *Yaourt chocolat-praliné feuilleté* 24
- *Yaourt fruits exotiques-noix de coco* 26
- *Yaourt griotte-macarons-pistache* 26
- *Yaourt coco-citronnelle-combava* 28
- *Yaourt à la confiture de lait* 28
- *Yaourt crème de marrons-café-spéculoos* 29
- *Yaourt framboise-chocolat blanc* 29
- *Yaourt macarons-rose-framboise-litchi* 32
- *Yaourt muesli-graines-miel-fruits frais* 32
- *Yaourt au pamplemousse* 34
- *Yaourt tout rose* 34
- *Yaourt pruneau-bergamote* 36
- *Yaourt façon tarte au citron* 36

Boissons 39

- *Ayran* 40
- *Boisson kéfir au lait* 40
- *Boisson au l. casei* 41
- *Lait fermenté à boire* 41
- *Lassi indien* 44
- *Lassi à la mangue* 44

- *Yaourt à boire au lait de coco* 44
- *Smoothie fraise-banane* 46
- *Smoothie fruits rouges-pain d'épice* 46

Recettes salées à base de yaourt 49
- *Dip yaourt-curry-oignons* 50
- *Dip yaourt-roquefort-fruits secs* 50
- *Dip yaourt-sardine-poivron* 51
- *Tzatziki* 51
- *Raïta* 54
- *Salade de concombre à l'alsacienne* 54
- *Moutabal* 56
- *Verrine au saumon et au yaourt de brebis* 56
- *Poulet tikka* 58
- *Pommes de terre au four, sauce aigrelette à la ciboulette* 58

Recettes sucrées à base de yaourt 61
- *Mousse yaourt-fraise-rhubarbe* 62
- *Sorbet au yaourt* 62
- *Crêpes au lait ribot* 64
- *Espuma au yaourt et aux fruits de la passion* 64

Sardines
SANS ARÊTES
Tomate